OUTRA NOVELINHA RUSSA

PORTO ALEGRE  SÃO PAULO · 2022

OUTRA *novelinha* RUSSA

GONZALO MAIER

TRADUÇÃO Reginaldo Pujol Filho

Copyright © 2019 Gonzalo Maier
Originalmente publicado em 2019 por editorial minúscula, Barcelona
Edição publicada mediante acordo com The Ella Sher Literary Agency e Villas-Boas & Moss Agência Literária
Título original: Otra novelita rusa

CONSELHO EDITORIAL Eduardo Krause, Gustavo Faraon
Luísa Zardo e Rodrigo Rosp
PREPARAÇÃO Julia Dantas
REVISÃO Raquel Belisario e Rodrigo Rosp
CAPA E PROJETO GRÁFICO Luísa Zardo
FOTO DO AUTOR Lorena Palavecino Hunting

DADOS INTERNACIONAIS DE
CATALOGAÇÃO NA PUBLICAÇÃO (CIP)

M217o Maier, Gonzalo.
Outra novelinha russa / Gonzalo Maier ;
— trad. Reginaldo Pujol Filho. — Porto
Alegre : Dublinense, 2022.
96 p. ; 21 cm.

ISBN: 978-65-5553-052-0

1. Literatura Chilena. 2. Romance
Chileno. I. Pujol Filho, Reginaldo. I. Título.

CDD 868.983036

Catalogação na fonte:
Ginamara de Oliveira Lima (CRB 10/1204)

Todos os direitos desta edição
reservados à Editora Dublinense Ltda.

Av. Augusto Meyer, 163 sala 605
Auxiliadora • Porto Alegre • RS
contato@dublinense.com.br

Por que tenho que perder para este idiota?
Aron Nimzowitsch

Os anos noventa estavam apenas começando: o rublo não valia nada, os empregos desapareciam como, às vezes, as borboletas desaparecem — porque sim, de uma hora para outra, sem que ninguém se dê conta — e, na falta de melhor ideia, boa parte de Moscou pegava suas malas e escapava: Nova Iorque, Berlim, Marbella, dava exatamente no mesmo, desde que fosse longe. O resto caminhava com o olhar perdido nas pontas dos seus sapatos, e pensava duas ou três vezes antes de acender um cigarro. Alguns — era impossível distinguir entre os que se mudavam e os que não — durante a noite empinavam garrafas de vodca e, pouco antes de voltarem para suas casas, atiravam as garrafas contra as estátuas de Lenin. Algumas pessoas aplaudiam, outras olhavam com cara de reprovação, e a coisa, vista desse modo, era uma metáfora modesta, mas eficiente: a União Soviética vivia sua última bebedeira e cada um fazia o que podia.

A milhares de quilômetros — quatorze mil cento e vinte e dois, para ser exato —, em uma Punta Arenas sepultada por quase um metro e meio de neve — "o feroz inverno branco", dizia a manchete do jornal, que naquela semana mostrou sem parar as fotos de um gaúcho recolhendo ovelhas mortas —, Emanuel Moraga assistia um documentário sobre a vida cotidiana na Rússia. Tinha uma manta sobre os joelhos e um chazinho de melissa nas mãos. Usava também umas pantufas velhas e estava sentado junto a um aquecedor a parafina que, com aquela cor amarelada, advertia que faltava pouco para se apagar. A casa estava tão silenciosa que, no segundo intervalo, pegou no sono. De todo modo, foi um cabeceio de leve, que terminou com os olhos abrindo num susto, com um pequeno salto, como se do nada aparecesse na sua frente a própria Virgem Maria, assim, em carne e osso, bem no meio daquela sala malcuidada e um pouco deprimente.

Aquele ano havia sido ruim para a criação de ovelhas, para a construção civil e para o basquete regional, embora para Moraga houvesse sido pior. Apesar de que há muito pressentia — as horas vazias da aposentadoria, a morte de Pamela, a vida longe do seu filho em Santiago, o colesterol estacionado em 321 mg/dl —, foi só quando abriu os olhos que não restou um traço de dúvida. Foi tão fulminante que até se lembrou do dia em que lhe receitaram óculos para a miopia. Inspirado pela voz grave e segura daquele locutor que detalhava os intricados malabarismos que Gorbatchov fez para conduzir a perestroika, percebeu que era chegada a hora. Viajaria para Moscou. Sim, sim, faria isso, pensou enquanto na tevê mostravam uma antiga fábrica fechada, rodeada por um monte de velhos gordos esfregando as mãos diante de uma cerca enferrujada. Por fim, disse a si mesmo que a viagem serviria para suportar melhor a ausência de Pamela, a única mulher da sua vida. Claro que, para ser justo, era também uma forma curiosa de pedir uma revanche ou — com o perdão do arroubo melodramático — de morrer com dignidade. Algo assim como os gatos, tão elegantes, que partem para um recanto solitário antes de dar o último suspiro.

 Na manhã seguinte, Moraga botou umas galochas que chegavam quase aos joelhos, vestiu um sobretudo cinza, levantou a gola — um gesto arrojado para um senhor como ele, que o levou a crer que fazia algo proibido ou perigoso — e, ao estilo dos espiões que apareciam nos filmes, saiu para a rua. Fez isso com cuidado, é claro, abrindo um pouco a porta para verificar o tanto de neve que havia lá fora. E, como naquelas condições pareceu-lhe impossível fazer o carro andar, foi caminhando devagar, enterrando muito bem os pés na neve. Sete quadras curtas o separavam do Centro e, em particular, da agência da Romeo Viajes.

 Mal pronunciou o nome da cidade, a mulher de uniforme azul baixou a vista, pegou o telefone e, em poucos minutos, como um mágico que tira um coelho da cartola, entregou uma passagem retangular com o nome daquele lugar misterioso: Moscou. Surpreendeu-se por ter sido tão fácil. Depois de passar mais de uma década sonhando com a capital russa, após muita insônia e dores de cabeça, quando já havia lido livros e mais livros e alugado montes de vídeos chatíssimos que mostravam como era a vida naquele lugar distante, confirmou que, para realizar sonhos, como asseguravam no comercial de um banco, bastava ter um cartão de crédito.

A prova irrefutável ele encontrou quando olhou para a data impressa na passagem: faltavam exatos três meses.

Ao voltar para casa, Moraga dedicou-se a caminhar de pantufas e percorrer o espaço como se o visse pela primeira vez. Ou talvez como se procurasse algo — um quadro?, um tapete? — que subitamente houvesse desaparecido. Havia comprado a casa há pouco mais de trinta anos, quando recém tinha se casado com Pamela e havia sido promovido a subdiretor de Planejamento Urbano da Prefeitura de Punta Arenas. Era uma pechincha e, como tinham umas economias e não decidiam nada para fazer com elas, pareceu uma boa oportunidade. Além do mais, ele era arquiteto e não seria difícil, ou assim acreditava, ressuscitar uma casa moribunda. Desde que assinou os papéis, numa tarde de abril em que o sol brilhava mais do que o usual, vestido em seu traje favorito, Moraga soube que aquela seria a grande compra da sua vida e, de fato, foi. O que ele não sabia, o que não tinha como adivinhar ao pedir o empréstimo — e talvez tenha sido isso o que havia evaporado, sem nenhuma explicação, entre as paredes da sua casa —, é que, ao contrário das suas suposições, não morreria sobre a cama na qual havia despertado tantas vezes.

 Claro que só se deu conta disso algumas horas depois de voltar da agência de viagens, em um dia de julho no começo dos anos noventa, quando já tinha revistado todas as peças da casa sem encontrar resposta para uma desaparição tão curiosa. E, como não queria perder nem mais um minuto, colocou de novo as galochas que continuavam junto da porta, ainda um pouco molhadas, cruzou a cidade até os escritórios do La Prensa Austral e, em um anúncio breve, mas contundente, pôs sua casa à venda.

 Os trâmites no banco e o visto na embaixada russa levaram menos tempo do que ele havia imaginado e, sem dizer a ninguém, nem sequer a um amigo ou ao inútil do seu filho, que, até onde ele sabia, trabalhava em um edifício com paredes de vidro, em um bairro santiaguino que ele nem mesmo conhecia — tampouco tinha vontade —, parou um táxi em plena avenida Bulnes e, como um capataz no comando de um exército de peões, disse com sua voz cerimoniosa e aguda: para o aeroporto!

Dois dias mais tarde, depois de uma escala em Santiago e outra em Madri, mesmo sem nunca haver saído da América do Sul, Emanuel Moraga aterrissava em Moscou com os cabelos brancos desgrenhados, as olheiras bem marcadas e com seu relógio indicando a hora errada: 13:27, diziam os ponteiros, apesar dele ter acabado de tomar o café da manhã. Quando o resto dos passageiros desceu do avião, ele suspirou fundo, e as aeromoças da Aeroflot viram com alívio o modo como aquele cavalheiro se punha de pé, alisava os amassados da sua calça azul-marinho, pegava sua bagagem de mão e avançava com uma seriedade e uma dignidade que elas não entendiam, mas também não julgavam porque estavam esgotadíssimas e suspeitavam que, naquela semana, para variar, não seriam pagas.

    Moraga caminhava pelos corredores do Domodedovo muito devagar, embora não o fizesse por estar cansado — e, sim, estava —, mas porque lhe parecia inacreditável que depois de tanto tempo havia chegado a Moscou, a capital do império, na condição de um miserável turista e não como um famoso desportista olímpico. Na verdade, sempre pensou que, se um dia aterrissasse naquele lugar, o faria como um enxadrista temido e perigoso. Um Capablanca com sotaque austral e bigodes, para dizer o mínimo.

    O policial da imigração olhou intrigado para o passaporte dele, disse algo em russo que Moraga nem sequer tentou responder e logo voltou a olhar a foto, e outra vez para Moraga, e enfim devolveu o documento de má vontade. Ele ajeitou a gola do paletó com calma, pegou seu passaporte e seguiu em frente.

O aeroporto parecia velho e malcuidado. De algum modo, isso o deixava de bom humor: as bitucas de cigarro jogadas no chão, o cheiro ácido dos banheiros, os turistas em busca de prostitutas baratas, as manchas de umidade nas paredes, os empresários que vinham de meio mundo para comprar fábricas em ruínas, as prostitutas caras, os letreiros mal iluminados, tudo, absolutamente tudo confirmava que ele, o arquiteto Emanuel Moraga, era melhor do que eles. Quer dizer: muitíssimo melhor. Caminhava, com uma confiança que havia reservado para os seus dias mais luminosos, entre os anúncios escritos em caracteres cirílicos e os moscovitas, que, à primeira vista, pareceram-lhe gordos e mal-humorados.

Como o rublo valia cada dia menos, assim que colocou um pé na rua, pegou um dólar da sua carteira e, ao contrário do que fazia em Punta Arenas, onde contava cada um dos pesos que gastava, entrou em um táxi. Era um Volga preto, no qual entrou sem perguntar nada. Limitou-se a abrir a porta traseira e, uma vez dentro, bem acomodado, entregou ao chofer o papel com o endereço e se recostou em um assento que lhe pareceu dos mais confortáveis, assistindo o sujeito fazer uma corrida ridiculamente longa antes de chegar no hotel. Pouco se importou. As ruas de Moscou eram um milagre que, através de uma janela opaca e mal lavada, ele via ao vivo e a cores.

Moraga olhava encantado aqueles transeuntes calados, que faziam filas para comprar verduras. Ou os edifícios grandes, de um cimento que o comovia e, ao mesmo tempo, lhe parecia profundamente estrangeiro. Eram construções que se elevavam muito mais alto do que a Torre Entel ou do que ele um dia imaginou quando estudava para ser arquiteto em Valdivia. E assim, quando já estava entorpecido pelo ritmo do carro, ou por aquelas ruas cinzas, quando o caos da cidade se tornava monótono, o táxi dobrou em uma esquina, ele mal viu um grande parque e reconheceu as bétulas e um certo ar de aristocracia decadente. Não teve dúvida: aquele era o Boulevard Tverskoy que havia visto em tantas fotos.

O chofer desligou o motor no meio da rua e, enquanto o carro se tremia, teve a delicadeza de deixar por um segundo o

Belomorkanal sobre o cinzeiro para anotar em um papel um número diante do qual Moraga assentiu com desconfiança. Ali, do banco de trás, alcançou uma cédula, que o taxista imediatamente enfiou no bolso. Tenha um bom dia, cavalheiro, disse Moraga antes de pegar sua bolsa de viagem e descer com cuidado. Quando pôs o segundo pé sobre a calçada, o táxi praticamente já havia desaparecido, deixando-o em frente a um letreiro de neon com uma letra queimada, que piscava sem vontade: оте ь Обλмов, dizia. Era um edifício de quatro andares, o primeiro bloqueado por umas tábuas grandes pregadas umas sobre as outras, e pintado de um amarelo que, em algum momento, alguém poderia suspeitar, foi branco.

 O cenário não era muito animador, mas, ao menos, ficava em frente ao Boulevard Tverskoy. Moraga pegou sua bolsa de viagem, que pareceu surpreendentemente leve, e entrou no hotel. Evidente que, ao cruzar o umbral que separava uma manhã clara de um edifício obscuro, teve um mau pressentimento, uma inquietude difícil de explicar. Quase se arrependeu de ter insistido com a moça da agência de viagens que necessitava de um hotel exatamente naquele lugar e não em nenhum outro ponto da grande e interminável Rússia.

E, para confirmar suas suspeitas, ao fundo daquele corredor escuro, debaixo de uma escada aristocrática e mal iluminada que, ele supunha, subia até uns quartos que sem dúvida conheceram tempos melhores, viu uma mulher sentada. Era velha, tinha cabelos brancos compridos e estava diante de uma escrivaninha que ali, aos pés da escada, parecia fora de lugar. Pouco depois, quando ela o acompanhasse até o segundo andar, ele descobriria que ela não se calava e era manca. Porém, ainda no umbral e com a bolsa pendendo de sua mão, Moraga se surpreendeu porque a mulher, das entranhas do corredor, com uma voz do além-túmulo, cumprimentou-o dizendo seu nome e deu as boas-vindas com um protocolo e uma distância que ele agradeceu.

Moraga sempre prezou a formalidade, o respeito, as calças passadas, o perfume Agua Brava, o hino nacional bem pronunciado, ajoelhar-se com delicadeza quando o padre lhe dava a hóstia na boca, escutar a rádio Agricultura enquanto preparava o café da manhã — para ele: um Nescafé com leite e duas torradas com manteiga; para Pamela: um chá e uma torrada com marmelada. Embora isso de formalidade e respeito seja um pouco exagerado: Moraga entendeu apenas o seu sobrenome toscamente pronunciado junto com uma série de ruídos difíceis de descrever. Na verdade, depois de vários segundos, como a senhora não fechava a boca, ele se preocupou, porque ela poderia estar dizendo qualquer coisa. Em outras palavras, não sabia o que esperar, o que só de pensar contradizia o seu passado como arquiteto e enxadrista. Dito assim, pode soar muito exótico, contudo, na prática, ele se limitava a fazer planos. A medir. A traçar linhas retas. A analisar o rival. A aprender com cada derrota. A entender sua posição. A não mudar de estratégia quando as coisas vão mal. A não improvisar. Um velho axioma do jogo — isso de *esporte* sempre lhe pareceu papinho para social-democratas — diz que não há pior estratégia que não ter estratégia. Nenhum enxadrista contestaria. Por isso, apressou-se em dizer com o seu espanhol de Punta Arenas, tão cantado e musical, que não entendia nem falava russo, depois negou com as mãos, porém, com sua pantomima desesperada, conseguiu que a senhora, a partir de então, começasse a falar muito devagar e bem pronunciado, como se ele fosse estúpido ou um pouco surdo.

Que seja, pensou Moraga, estava esgotado. Nem sequer podia calcular as horas consumidas pela viagem porque nelas havia um salto quântico, uma transformação vital que era impossível contabilizar com seu miserável relógio. Era uma viagem no tempo partindo de um país que se via como um jaguar que rugia desde o cu do mundo até um hotel caindo aos pedaços no centro de uma cidade sitiada pelo capitalismo e por meia dúzia de tanques que ameaçavam pôr abaixo a Casa dos Sovietes.

Segundos mais tarde, e quando a senhora subia as escadas morrendo de rir daquela sua perna manca que a impedia de ir mais rápido, Moraga recordou do silêncio sepulcral da sua antiga casa em Punta Arenas, que ele só quebrava umas poucas vezes ao dia para dizer algo em voz alta para sua falecida esposa, com quem seguia conversando cotidianamente. Comentava com ela a programação da tevê ou a previsão do tempo, avisava que ia ligar a máquina de lavar, e então seguia com sua rotina silenciosa. Essa foi a primeira coisa que aprendeu quando saiu daquele cemitério cheio de ciprestes: que ninguém se vai, que nada desaparece, que a matéria se transforma, que o universo, como dizem os astrônomos, é uma expansão e contração sem fim, que sua vida com Pamela não havia acabado, tinha se transformado. Como as borboletas. Ou os meninos cantores que perdem a voz quando crescem. Era questão de se acostumar.

    Chegando no segundo andar, a mulher abriu uma porta que rangeu forte e agudo, e ele viu o que seria o seu quarto: pé-direito alto, papel de parede floreado meio descascado, dois candelabros presos na parede, que não tinham velas, mas lâmpadas nuas, uma colcha também floreada sobre uma cama de casal e, coroando aquela paisagem, uma grande janela com vista para o parque.

    Havia chegado: do outro lado estavam o Boulevard Tverskoy e aqueles senhores sentados sobre bancos de madeira jogando xadrez. Eram grupos improvisados que toda manhã se instalavam durante horas naqueles assentos verdes, e Moraga, ainda com a bolsa pendendo da mão, observava-os surpreso, constatando que existiam fora dos documentários e das revistas de xadrez.

O que ele dizia: Moscou, enfim.

Nos estertores dos anos setenta, na pré-história dessa viagem, Moraga havia cultivado certa reputação como professor e jogador do Clube Magalhânico de Xadrez. Naqueles tempos, ele era um arquiteto com um emprego estável que, nas quartas à tarde, ministrava uma oficina na qual mesclava a gosto, e com bastante liberdade, partidas clássicas — Alexander Alekhine vs. Richard Réti, Bobby Fischer vs. Boris Spassky — com batalhas reais — a de Chacarillas, a de Ochagavía. As aulas aconteciam no refeitório da prefeitura, com metade das cadeiras colocadas de pernas para cima sobre as mesas, e eram frequentadas por homens jovens, solteiros, que tinham pouco o que fazer em Punta Arenas, sujeitos que sequer podiam se dedicar a ver televisão, porque ali só chegava um miserável canal. Mulheres nem apareciam. Talvez duas ou três durante aqueles anos, mas Moraga não lembra delas porque nunca lhes deu importância. O xadrez era um trabalho para homens, e a rotina, sempre igual: postava-se diante do seu público, pigarreava um pouco e começava falando da Batalha de Chacabuco, ou do Desastre de Rancagua e, ato contínuo, no tabuleiro que estava desenhado no quadro, inventava posições que, de algum modo, se encaixavam no seu desejo de demonstrar que o tabuleiro era uma metáfora da guerra. Ou do mundo. Embora o mundo talvez tenha sido sempre uma guerra e, por isso, às vezes modificava a história um pouco para cá, um pouco para lá. Afinal de contas, como dizia um jogador holandês, mais interessantes que a verdade serão sempre as meias-verdades.

Assim passava a sua vida no final dos anos setenta: entre arquivos da prefeitura, plantas fotocopiadas de banheiros públicos e exemplares do *Manual de xadrez*, de Juvenal Canobra, publicado pela editora Quimantú durante os tempos de Allende, que ele compartilhava com cuidado com seus alunos mais valorosos. Treinava para competir em pequenos torneios em Río Gallegos, em Porvenir ou em qualquer outro canto da Patagônia, nos quais costumava hospedar-se em pensões que cheiravam a eucalipto e umidade, que ele pagava em espécie com o dinheiro que ganhava pelo primeiro ou segundo lugar. Uma ou outra vez, viajou a Santiago sem Pamela e, inclusive, em uma ocasião, a Mendoza, e outra, para Caracas. Não se saía nada mal — em termos gerais, ganhou mais que perdeu —, mas sempre se queixava de não ter tempo para treinar e se dedicar por completo àquela atividade — sua vocação — que lhe parecia tão nobre.

O primeiro capítulo da sua novelinha russa, de toda sorte, se apresentou no começo dos anos oitenta.

Foi em uma manhã como qualquer outra, mais uma entre tantas, uma que, não fosse pelo seguinte detalhe, ele nem sequer recordaria: a tomada da cozinha não funcionava. Não importava o que conectasse — a torradeira ou a batedeira —, nada acontecia. Como ainda estava de pijama e o otimismo lhe caía bem àquela hora, pegou uma das suas chaves de fenda, tirou o espelho da tomada, porém foi incapaz de enxergar um fio partido ou alguma peça mal conectada. Uma falha súbita, pensou. Coisas que acontecem. Naquela tarde, graças às recomendações de alguns colegas de trabalho, que coincidiram acerca da idoneidade do homem, tocou a campainha da sua casa um técnico que tinha o cabelo lambido com brilhantina. Vestia um macacão azul coberto por uma parca preta bem abotoada e, depois de dar uma olhada na conexão, disse que não demoraria, que desligaria a eletricidade só por uns minutos.

Enquanto isso, Moraga fez a única coisa que lhe ocorreu: sobre a toalha de mesa de crochê bordada por sua sogra, acendeu duas velas brancas e dispôs as peças no tabuleiro. Começou a jogar contra si mesmo na sala de jantar, em silêncio, tentando não trapacear, o que costuma ser o mais difícil. O eletricista descascava alguns cabos e logo se desconcentrava por culpa daquele senhor que jogava à luz de velas, em seguida cortava algo com o alicate e voltava a olhar para Moraga. E assim foi durante mais algumas jogadas, até que o homem disse que estava pronto, que não era grande coisa e, depois de acender a luz, sorriu com uma calma sobrenatural sob os tubos fluorescentes da cozinha.

O eletricista tinha um bigode fino, porém mais escuro que o de Moraga — naqueles tempos, como veem, parece que todos usavam bigodes —, e, enquanto limpava as mãos no macacão, começou a caminhar em círculos sobre os ladrilhos da cozinha. Estava amadurecendo uma ideia. Enquanto lá fora nem o progresso nem o espírito empreendedor se concretizavam, enquanto lá fora os guerrilheiros e os terroristas podiam estar em qualquer esquina preparados para a batalha, Moraga escutou o modo como o eletricista, com sua voz grave e um tom afetado e um tanto forçado, fez uma pergunta. Ou talvez uma proposta.

A guerra possuía caminhos misteriosos e insondáveis, e de repente o xadrez converteu-se na estrada mais bem pavimentada. Se, por ora, não possuíam as armas para sair a combater o comunismo fora das suas fronteiras, disse-lhe o sujeito naquela tarde, se o Chile e a estrela solitária da sua bandeira não flamulavam no pódio ao qual estavam destinados, ao menos poderiam fazer um xeque-mate elegante e singelo e derrotar um daqueles russos sérios, que viajavam pelo mundo com um estatuto estranho, algo entre agente da KGB e desportista olímpico.

Pedia que imaginasse o duelo com um russo, de preferência em Leningrado ou — muito melhor — no centro do império, em Moscou, durante uma noite límpida, com as duas bandeiras se agitando lá em cima, no alto do Kremlin, com os olhos do mundo sobre suas nucas. Isso está ao nosso alcance, disse-lhe. E o senhor, cavalheiro, se é tão patriota como parece, saberá estar à altura.

Até aquela tarde, Moraga via com admiração o golpe de estado, a luta contra o comunismo e a ditadura. Claro que ele preferia dizer governo militar e, de fato, era o que ele dizia. Ou o que pensava, porque naqueles anos quase não falava. A ideia de erradicar os comunistas lhe parecia mais que correta, a ditadura parecia-lhe necessária — ou o custo que qualquer pessoa razoável pagaria —, e isso de governar com mão firme, afinal de contas, era o modo correto e natural de fazer as coisas. E se isso não bastasse, havia cada vez mais obras e construções e o cenário profissional para os arquitetos era o melhor em muitas décadas. Sobre isso, não havia o que discutir. Ou muito pouco, tão pouco que, durante os almoços com seus colegas de trabalho, comentava as notícias do dia, sobre as quais ninguém se atrevia a opinar em excesso, por cinco ou dez minutos. Ao fim, talvez por falta de alternativa, mudavam de assunto e falavam sobre o basquete regional ou a necessidade de ampliar essa ou aquela rua. Evidente que, desde a manhã em que a tomada estragou, para Moraga, a história do Chile — e, ele até diria, do século 20 — enfim fez sentido. Era mais ou menos óbvio, mas não havia ocorrido a ele. No final das contas, as melhores ideias são assim: totalmente previsíveis, mas necessitam que alguém as diga em voz alta. Como a lei da gravidade ou o vinho tinto. Isso era o que tinha de fazer: ganhar. Nada mais era preciso. Estava velho, porém tinha uma missão que recém havia descoberto, como quem descobre, quase aos cinquenta anos, que é filho de outro pai. De uma hora para outra, sob a luz fria da cozinha, entendeu que um homem com uma ideia firme, com uma fé inquebrantável, é capaz de mover montanhas, de atravessar campos e desertos. E ele, disse para si mesmo, era um deles.

    Moraga então apertou a mão do eletricista e começou a lutar pelo campeonato mundial de xadrez como um lobo faminto. Colocou retratos de Garry Kasparov e de Bobby Fischer, soberbos e invencíveis, junto ao espelho do banheiro que dividia com Pamela e, de repente, ser enxadrista se transformou em uma aventura perigosa e apaixonante que começava com ele escovando os dentes pela manhã encarando fixamente os seus rivais, imaginando que os sonhos da sua infância, que havia esquecido há sabe-se lá quantos anos, se transformariam em realidade.

Nos primeiros meses, não contou nem ao basco Armendáriz nem ao Kusevic, seus melhores amigos. Para Pamela, nem pensar. Era uma missão secreta e, pela primeira vez nos seus miseráveis quarenta e sete anos de vida, soube que fazia algo importante. O que, no seu caso, foi treinar e fechar a boca — mas, vendo o copo meio cheio, pelo menos confirmou que existem infinitas formas de fazer coisas importantes. Às seis da tarde em ponto, quando voltava para casa, depois de um pão com marmelada e um café com leite, sentava-se para treinar em um quarto minúsculo e mal iluminado até o segundo exato em que Raúl Matas começava a ler as notícias. Uma abertura inglesa, um gambito da rainha, ver como o ataque Larsen ganha muito com a variação Nimzowitsch. O universo e cada uma de suas estratégias cabiam naquela peça.

Sua tarefa era difícil. Não era qualquer um, ele supunha com bastante assertividade, que saía representando o Chile no concerto mundial — assim disse o sujeito de macacão azul, exatamente, com todas as letras: concerto mundial — do xadrez. Lá fora estavam Garry Kasparov e Lev Polugaevsky e Bobby Fischer e Robert Hübner e — aqui o coração de Moraga disparava — Anatoly Karpov. Soldados combatendo em lados opostos de um muro em busca de um único triunfo possível: o último, o final, o decisivo.

O Boulevard Tverskoy ele descobriu naquela mesma época. Lia todo e qualquer livro que caía em suas mãos: podiam ser volumes grossos sobre história russa ou contos ínfimos de Gogol ou Tchekhov. Pegava qualquer coisa que lhe permitisse entrar, ainda que por poucas horas, na cabeça de um russo. Queria saber como pensavam, o que sentiam, o que temiam, que cheiro tinham os seus sapatos. Assim inteirou-se sobre aquele pequeno parque moscovita no qual um punhado de aficionados, dia após dia, século após século, sentava-se para jogar com uma paixão que o deixava, sentado em sua cadeira ergonômica no escritório municipal de arquitetos de Punta Arenas, comovido. E, anos mais tarde, precisamente ao abrir uma grande janela que dava para a estátua de Serguei Yesenin — o poeta que cortou suas veias e tentou escrever com seu próprio sangue um verso glorioso, destinado a entrar para a história, mas que no final foi um desastre porque ninguém pôde decifrar sua letra —, dizia para Pamela que enfim havia chegado, que nunca é tarde, que os triunfos são questão de opinião e que, ao contrário do que dizia aquele chinês que aparecia toda hora no jornal, a história não tem fim. Esperou uns segundos para ver se ela respondia. Na ausência de qualquer comentário, conferiu o cheiro da sua camisa, vendo se necessitava trocar depois de atravessar meio mundo, e lhe pareceu que não era preciso.

Naquele instante entrou pela janela uma brisa fresca e brincalhona que acabou com o seu cansaço e com um certo ar depressivo que o ameaçava. Sairia para a rua. Era isso o que devia fazer. Mais tarde — porque sempre há um depois — teria tempo para descansar. Assim, pegou sua bolsa de mão, jogou-a sobre a cama e, só ao abri-la, confirmou por que estava tão leve. Ali dentro não estavam suas cuecas, nem seus melhores trajes que, eventualmente, poderia usar em sua aventura russa, mas sim um monte de cédulas presas com elásticos. Era a sua casa. Em dinheiro vivo e literalmente.

Era a abstração de uma infinidade de ladrilhos, fios, tomadas, telhas, mesas, encanamentos, vidros e azulejos onde viveu com Pamela. Uma vida resumida em notas de cem dólares. Guardou-as ali para viajar acompanhado e, por que não, evitar más surpresas. Esse plano curioso, digno da Guerra Fria ou de uma fantasia delirante, confirmou-se — não, não era um sonho — assim que ele abriu a bolsa. E depois de suspirar com força, talvez surpreso com ele mesmo, pegou um daqueles maços, vestiu o paletó com o qual tinha viajado e saiu para a rua.

 Disse para si mesmo que ficaria bem. Que já havia chegado e que, visto com distanciamento, isso era o mais difícil. Além do mais, os dólares o imunizavam contra qualquer perigo e, não vendo a mulher na sua escrivaninha, saiu em disparada, com energias renovadas, até aquele parque que ficava exatamente do outro lado da rua.

Moraga pisou no Boulevard Tverskoy um tanto exaltado. Não estava acostumado a andar com pressa nem a caminhar às cegas por lugares desconhecidos, embora a ansiedade tenha durado muito pouco: estavam ali. Sequer precisou colocar seus óculos para ver de longe. Eram quinze ou vinte pessoas, cobertas com grandes parcas e toucas de lã, que rodeavam dois ou três bancos de madeira.

Caminhou até eles guiado por anos de frustração e se esgueirou entre aqueles homens, feito um qualquer, ombro a ombro, protegido pelo silêncio, pela possibilidade de passar despercebido e, naquele momento, com um gesto mínimo que deu início a uma nova vida — *la vita nova* —, espichou o pescoço. Do outro lado daquelas nucas, dois sujeitos jogavam xadrez sem dizer uma palavra. Tinham um cronômetro velho, ao lado do tabuleiro, que prendia alguns rublos que o ganhador faturaria. Moraga tentava respirar fundo, encher seus pulmões com aquele ar frio e, ao mesmo tempo, concentrar-se na partida, porém era impactante para ele ver pela primeira vez, ali, ao alcance da sua mão, a vida que deveria ter sido a dele.

    Desde a tarde em que a tomada da sua cozinha foi consertada, Moraga treinou com uma força que desconhecia. Tentou fazer com que seu filho o seguisse, que lhe servisse de sparring, fez com que lesse pilhas de revistas especializadas, dormiu pouco, tomou vitaminas C e B para fortalecer o córtex cerebral, comeu passas e figos, inscreveu-se para aulas no ginásio municipal, e em poucos meses estava jogando torneios locais e nacionais, em sul-americanos e até em pan-americanos, aos quais comparecia com seu bigode impecável e uma mirada séria.

Como podem imaginar, a aventura dele foi um fracasso retumbante e, por isso, porque era um jogador que não sabia perder, que é o que define os verdadeiros mestres, encontrava-se em um parque desimportante e via como um homem baixo e de cabelo crespo, inegavelmente descabelado, movia um cavalo para A8 em uma jogada inteligente, ainda que míope. Dava-lhe uma boa presença no centro do tabuleiro, Moraga pensou, sem dúvida ganhava uma posição firme, isso era indiscutível, mas também atrofiava o ataque pelo flanco esquerdo, que era a única forma de romper com eficácia a defesa do seu oponente.

Ficou por ali dois ou quinze minutos, com o olhar perdido no tabuleiro, até que suas mãos começaram a coçar. Era uma comichão leve, uma ansiedade que se movia pelo sistema nervoso central, de cima a baixo, e dizia para ele que era a sua vez, que sentasse em um dos bancos, que pusesse umas notas sobre a mesa, que jogasse de uma vez por todas contra um russo e, porque nunca se tratou somente de jogar, que ganhasse. Porque era para isso que estava ali. Ao mesmo tempo, a prudência de Moraga, cultivada com esmero e covardia, dizia que deveria fazer as coisas com calma, olhar em silêncio, entender como tudo funcionava, decifrar qual era a lógica e a hierarquia daquele parque e, então, claro, poderia jogar. Porém, ele sentia as duas coisas simultaneamente e não conseguia levar adiante nem uma nem outra.

    Era um homem tenso. Desesperado. Isso se via só de olhar. Um estrangeiro atrapalhado, para ser mais exato. Uma presa fácil para um tipo como Aleksei, um moscovita educado sob as políticas de Brejnev, que, desde a época em que brincava nas ruas cinzentas e perigosas de Golyanovo, na periferia mais barra--pesada de Moscou, aprendeu a tirar proveito das oportunidades. Fingiu que não se interessava, que sequer havia reparado na presença de Moraga, quando naquele lugar qualquer um notava a chegada de jogadores novatos ou turistas imprudentes. Talvez para avaliar em qual dessas duas categorias se encaixava aquele senhor magrinho, deixou passar vários minutos até que o percebeu excitado e lhe deu uma batidinha no ombro. Perguntou se queria jogar.

Moraga fez gestos destrambelhados, explicando que não falava russo. Também disse em espanhol, movendo as mãos em um sinal de negação um pouco ridículo que, combinado com aquele no-ha-blo--ru-so, fez com que o resto dos curiosos desse meia-volta para ver quem falava aquela língua estranha.

Aleksei era baixo, magro, elétrico. Tinha o cabelo tão curto e irregular que, para Moraga, pareceu um soldado. Ou melhor: um desertor faminto que há muitos dias fugia do seu regimento, distante, talvez nos Urais. Vestia uma jaqueta de couro preta, fechada até o pescoço, e fumava com confiança, com tragadas grandes e generosas que contrastavam com seu corpo pequeno. Lançou a fumaça para o céu com um trejeito um tanto rebuscado e, depois de levantar os ombros em sinal de resignação, como se dissesse que era indiferente, que as línguas estavam condenadas a desaparecer cedo ou tarde, indicou com o dedo um banco vazio. O rapaz deu um ou dois passos para trás, olhou-o nos olhos e fez uma reverência teatral, enquanto lhe estendia um tapete imaginário.

    Moraga ficou parado, um pensador de mármore perdido em um museu inglês. O que o levou a recordar seu pai em frente ao tabuleiro, onde costumava observar as peças por horas, sem se mover, coçando o queixo ou a têmpora do lado esquerdo. Aquele jogo era sua vida, ou seja, era qualquer coisa menos um jogo. Mas ele estava longe dessas recordações. Tão longe que estava em Moscou.

    Diante da oferta do rapaz, Moraga julgou que o povo russo era belo e generoso. Ou talvez todos os povos belos fossem generosos, corrigiu-se. Ou todos os povos generosos eram belos. Francamente, dava no mesmo para ele, porque, seja lá qual fosse o caso, não era um mau dia para derrotá-los.

Ergueu os ombros, talvez tenha mexido o pescoço de um lado para o outro como fazem os boxeadores antes de saltar para o ringue e, ali, sob a sombra daquelas árvores frondosas, sentindo uma brisa leve que sequer o despenteava, deu um passo adiante e disse para Pamela que a sorte estava lançada.

Claro que não pensou que seria tão rápido nem tão fácil. Aliás, apesar do seu bigode estar bem arranjado, ou ao menos muito melhor do que os daqueles bárbaros, que eram grossos e mal aparados, ele não havia se barbeado desde que deixou para trás sua vida patagônica. Não era um detalhe banal. Ao menos para ele. Moraga sempre imaginou derrotar os russos vestido com seu traje mais elegante e com os sapatos muito bem lustrados. Antes de dormir, perdido naquele estado alfa em que não podia diferenciar a consciência do sonho, às vezes se via na pista do aeroporto de Punta Arenas, subindo devagar por uma escada metálica até a porta do avião, que teria uma bandeira chilena pintada, com uma estrela muito grande, e com o apresentador Dom Francisco lá embaixo, transmitindo sua despedida ao vivo e a cores sob os aplausos do resto dos viajantes.

Todas as manhãs, quando estava saindo de casa, junto ao cabideiro onde ele pendurava o casaco, Pamela pegava o marido pelos ombros e olhava de perto seu bigode. Reparava, sobretudo, nas bordas, que ambas estivessem mais ou menos iguais. Então dava um passo para trás, como se buscasse uma visão panorâmica, e dava sua aprovação. Vamos lá, dizia Moraga em voz alta.

Era uma vida boa, costumava repetir para seu amigo Armendáriz, que encontrava uma ou duas vezes por trimestre: um mundo cheio de seguranças e certezas, as quais lhes permitiam não ficar confusos nem tomar caminhos errados, beber umas piscolas nos fins de semana naquele pequeno país perdido nos confins do império ocidental. Sim, sim, não há dúvida. Um pouco como o Cazaquistão, que, se por vezes parecia uma piada dentro da União Soviética, era exatamente dali, daquele pedaço de terra triste e decadente, que vinham Kasparov e Molov, dois jogadores que seriam mais importantes que o próprio Gorbatchov. O Chile não lhes parecia muito diferente. Achavam que, chegado o dia, era isso que diriam os jornais do mundo a cada vez que se referissem àquele país comprido e magro feito um fio de mijo na calçada. Chile, sim, uma província do extremo Ocidente, um lugar pobre e esquecido, é evidente, dizer o quê, contudo ali faziam as coisas direito e, sem que ninguém se desse conta, haviam dado um golpe de mestre, uma estocada bela e até mesmo poética, se é que o excesso de romantismo era permitido, no coração do império soviético.

 As ruas, assim como muitas outras disciplinas, têm suas próprias lógicas, e Moraga se sentia muito bem com elas: Aleksei, o rapaz elétrico, lhe pediu dinheiro, e Moraga, sem hesitar, em um gesto quase automático, entregou cem dólares, que em sua mão brilhavam como uma barra de ouro. O sujeito olhou para ele desconfiado, deu a volta, olhou para a nota contra a luz e, supôs Moraga, perguntou em voz alta, como se estivesse na feira vendendo batatas, quem queria jogar contra aquele senhor. Não era raro que, desde a queda do Muro de Berlim, e mesmo desde o início da perestroika, chegassem turistas, jornalistas e diplomatas para jogar contra aqueles senhores educados nas mais severas e vanguardistas escolas de xadrez. Em geral, eram aficionados sem muita experiência, que jogavam de vez em quando, especialmente nos fins de semana, e que viam essas partidas como um suvenir para oferecer em um aniversário ou em uma confraternização de fim de semestre. Não vão acreditar no que eu fiz em Moscou, mais de um terá dito: joguei xadrez contra um russo.

Vários levantaram a mão, Aleksei perguntou algo que Moraga nem se dignou a tentar entender e, em segundos, ele viu-se organizando as peças brancas em um tabuleiro que apareceu do nada. À sua frente, tinha um rapaz de vinte anos, calculava, ainda com espinhas.

Moraga se contentava em colocar as peças no centro de cada quadrado, com paciência e exatidão, e em dizer para Pamela que ali, bem na sua frente, estava a primeira presa. O que você acha?, perguntava a ela. Começo com uma abertura inglesa para ver se o outro é um conservador e responde com uma defesa siciliana? Finalmente Moraga levantou um pouco o olhar e, sem nenhum alvoroço, estendeu a mão direita para seu oponente. Disse-lhe seu sobrenome (sem sorrir, sem mostrar medo, tentando pronunciar o melhor possível) e moveu um peão para C4. Antes, confirmou que sua nota de cem dólares, com o rosto simpático de Benjamin Franklin, estava debaixo do cronômetro e, sem poder acreditar, em uma quarta-feira às duas da tarde, iniciou a primeira das suas partidas russas.

E venceu, apesar do cansaço e das horas de viagem, apesar de ter errado algumas jogadas mais ou menos óbvias, apesar de não estar na sua melhor forma e de que havia uma porção de sujeitos apostando mentalmente contra ele, seguramente comentando que aquele estrangeiro não podia ser melhor que qualquer um deles. Foram quarenta e três movimentos que terminaram com um xeque bem trabalhado entre um bispo e uma rainha, e com várias cabeças assentindo em silêncio, possivelmente surpreendidas por aquele senhor que fazia uma sutil reverência a seu oponente e levantava o cronômetro para ficar com as notas. Moraga talvez esperasse aplausos, um assobio exaltado, porém o silêncio recordou-lhe de que estava entre inimigos e que o plano a que se havia proposto há tantos anos ainda estava vigente. Aí está, Pamela, ele disse em voz baixa e corrigiu sutilmente o nó da sua gravata antes de se pôr de pé.

Na falta de uma ideia melhor, avançou de cabeça erguida, rompendo de uma só vez o círculo de vinte ou trinta curiosos que havia se formado ao redor do tabuleiro. Não foi um movimento premeditado nem desleal, muito menos teve a intenção de ser grosseiro ou descortês com seus admiradores de ocasião, somente não lhe ocorreu outra coisa a fazer. Sentia-se ridículo sentado frente a um mar de pessoas que o olhavam de cima. Pegou as notas que estavam ali ao seu alcance e saiu empurrado por uma mão invisível. Talvez sua fuga tenha sido um excesso teatral, digna de uma opereta, mas, para Moraga, pareceu o mais adequado.

Pouco antes de cruzar a rua, teve a tentação de dar meia-volta e confirmar que estavam olhando para ele, que alguém o seguia, que era a nova estrela do parque, mas se contentou em meter as mãos nos bolsos e caminhar em linha reta, para onde quer que o levassem as ruas daquela cidade grande e empoeirada que estava ali, diante dele, que o recebia com um triunfo. Moscou, ele pensou, entregava-se como uma garota — uma ucraniana, digamos — seminua e provocante. Assim, atravessou a rua sem esperar o sinal verde e caminhou uma, duas, três quadras compridas e largas, sem olhar para trás, mas também sem desviar-se muito porque temia se perder.

Lojas de calçados, açougues, uma senhora com rolos nos cabelos dormindo entre caixas de papelão, uma lavanderia fechada sabe-se lá desde quando, um posto de telefonia com adesivos de bandeiras de países que ele seria incapaz de reconhecer, cartazes de agências que prometiam encontrar uma resignada esposa russa, pessoas rindo e outras rindo muito alto e outras ainda mais alto, centenas de vitrines passavam diante dos seus olhos, todas coroadas por letreiros misteriosos. Era um estrangeiro em um mundo incompreensível e virginal.

 O vento maldito da Patagônia — aquele que enlouquecia os pastores de ovelhas, que golpeava o pampa como um solo de contrabaixo — seguia no mesmo lugar, a milhares de quilômetros, assim como os seus velhos amigos seguiam reunindo-se no café de sempre, seguiam com a rotina que Moraga poderia retomar subindo em outro avião, porém isso não importava para ele. Aquelas ruas o imunizavam. Moscou, ele pensava com as mãos nos bolsos, apertando o dinheiro, parecia-se muito com a verdade, enquanto o seu passado era igualzinho a um sonho ruim. Em cada um dos russos com quem cruzava pela rua — não que se preocupasse em olhar para eles com atenção — imaginava um soldado aposentado, um valente e cansado bolchevique, uma senhora que aguardava com temor e paciência que seu marido voltasse de uma viagem de negócios a Vladivostok, senhores honrados que, fazia pouco tempo, estavam destinados a lutar contra ele; no começo dos anos noventa, contudo, o mundo já era outro, e todos caminhavam um pouco encurvados e tinham alguma dor nas costas, ou problemas nas gengivas e, para falar a verdade, isso de ganhar a Guerra Fria já não importava porra nenhuma.

Durante a caminhada, Moraga recordou uma das aulas de religião do padre Fernández, quando ainda estava no colégio. Era um tema difícil e apaixonante: se a carne efetivamente ressuscita, e os bons chegam ao paraíso, como é que fazem? Na forma de um adulto? Como uma criança de seis anos? Um homem que morreu coxo revive sem sua perna? Moraga lembra que fez uma pergunta: uma criança que morreu com dois ou três meses chega ao céu convertida no adulto que nunca foi? Ou segue sendo, por toda a eternidade, um nenê? Segundo o padre Fernández, que nos recreios demonstrava um talento indiscutível como ponta-esquerda, as almas reviviam no seu melhor momento. No seu esplendor, digamos. Pode ser aos três ou aos sessenta anos. Alguns subirão aos céus com o cabelo comprido e juvenil, e outros com uma careca pronunciada. Dá no mesmo, ele dizia, cada um chegará no paraíso na plenitude das suas potências.

Moraga, antes de dobrar uma esquina, disse para sua mulher que, quando ressuscitasse, se é que ressuscitaria, afinal de contas a cada dia complicam mais essas coisas, seguramente o faria tal qual estava naquele momento: com a mesma camisa e a mesma calça, naquela mesma hora, naquela cidade que assim, de repente, deixava de ser desconhecida.

E assim que diminuiu a velocidade, quando sentia uma leve mudança interior, uma mão caiu do nada sobre seu ombro.

Congelou, é lógico.

Uma mão. Seu ombro. Moscou. A rua. Nada daquilo fazia sentido e muito menos em um mesmo parágrafo, mas aquilo, nada mais nada menos, era o que estava acontecendo. Em Punta Arenas, teria certeza de que se tratava de um velho amigo ou uma antiga colega de Pamela, das que ele conhecia de nome, ou um distraído que o havia confundido com alguém, mas ali, poucas horas depois de ter descido do avião, no momento em que vivia um transe esquisito no qual o esgotamento e o sono se confundiam com a fome e a ansiedade, só podia ser uma pessoa e mais ninguém.

Por alguns segundos, Aleksei deixou sua mão sobre o ombro de Moraga, talvez para evitar a fuga dele ou, vá saber, para demonstrar o carinho que tinha por ele ou, ao contrário, para deixar claro quem é que mandava. O sujeito, que usava sua jaqueta de couro bem fechada, quase chegando até a ponta do nariz, falou longa e demoradamente e encerrou fazendo, ali na frente de todos os pedestres, o gesto que Moraga supôs ser o favorito dele.

Ao vê-lo esfregar os dedos, tirou do bolso um monte de notas de rublos, pegou o que parecia ser a metade e entregou ao sujeito.

Como havia visto muitos filmes de espiões, de pantufas, jogado sobre a poltrona de casa, Moraga sabia que o rapaz baixinho, que dobrava o maço de notas e guardava em um bolso das calças, podia se transformar em um bom aliado. Claro que seria preciso esperar. Então suspirou, deu de ombros e disse, com seu sotaque bonachão do sul chileno, que voltaria ao parque amanhã de manhã, que ele encontrasse bons rivais, que não iria embora antes de derrotar mais uma meia dúzia. Mas o que estava dizendo? Muitos mais. Que o dinheiro correria por sua conta. Aleksei observou-o em silêncio, talvez tenha espremido um pouco as sobrancelhas, e acendeu um cigarro que fumou inteiro, sem dizer uma palavra, até que assentiu alguns segundos depois de ter se calado aquele velho esquisito, que tinha pelos saindo de onde exatamente não saíam pelos. O jovem deixou a bituca cair e pisou nela com vontade — um pouco exagerada, na opinião de Moraga — antes de repetir o gesto que tanto apreciava. Então, desapareceu.

 E assim, em uma avenida comprida e ladeada por edifícios imponentes, Moraga voltava a estar só. Para evitar que ela se preocupasse, disse a Pamela que havia visto coisas piores nas noites de Valdivia ou de Castro, que o xadrez nunca havia sido para covardes, que, por mais que estivesse entre estrangeiros, nada de mau poderia acontecer.

 Contudo, se esta última afirmação fosse verdade, na manhã seguinte não teria sido despertado pelo estrondo da porta batendo às sete e meia da manhã quando ainda lhe restavam várias horas de sono pela frente. Muito menos teria visto que a senhora do dia anterior entrava mancando, com uma bandeja de madeira, morrendo de rir. Trazia um pão preto e um chá que tremelicava e ameaçava cair direto na cabeça dele. Moraga se apoiou na cabeceira da cama, com o cabelo desgrenhado e o travesseiro tatuado entre as rugas do seu rosto. A senhora falava sem parar, e ele, atordoado com o ataque imprevisto, esticou os braços, recebeu a bandeja e sorriu agradecido. Sim, sim, muito obrigado, agora suma, desapareça, ele parecia dizer. Aliás, em certo momento, ele chegou a dizer.

Sim, sim, saia, arrematou, muito firme, enquanto ela retrocedia sem tirar os olhos dele, em silêncio. Parecia observar uma vítima — algo assim como uma vaca a caminho do matadouro —, porém ele não percebia e deu uma mordida desesperada no que descobriu ser um pão de centeio, grosso e contundente, com ovos mexidos. Era melhor do que esperava.

De todo jeito, o segundo não foi um mau dia. Ou talvez sim, mas somente se for levado em conta o que aconteceria no terceiro, embora, como dizia um poeta costa-riquenho que Moraga jamais leria, em certo momento da vida não se escolhe mais nada, e até o mais mínimo detalhe é consequência de decisões tomadas há muito tempo. Por isso, em certa idade, que viria a ser a de Moraga, o sujeito é como aquela sucata espacial que flutua na Via Láctea com uma trajetória clara e invariável, alheia à vontade e à responsabilidade. Enfim, Moraga tomava café da manhã na cama. Um pouco depois, largou a bandeja sobre a cômoda onde estavam sua carteira e os óculos e voltou a dormir. Quando levantou, parecia ser meio-dia e, depois de tomar banho no banheiro que ficava no final do corredor, um corredor mal iluminado e aparentemente vazio, vestiu-se e foi para o parque. Novamente, ia com seu casaco bem abotoado e, em resumo, com a mesma roupa do dia anterior. Não trocou as meias, nem a camisa, nem as cuecas. Haverá quem seja da opinião de que era um uniforme, evidente.

No Boulevard Tverskoy, um levantou a cabeça, outro sorriu, um outro baixou o olhar em sinal de cumprimento. Reconheceram-no. Aquela ilusão de familiaridade e cotidianidade, como se o povo russo agora houvesse entregado o assento que lhe correspondia — ora, que sempre lhe correspondeu —, encheu-o de valentia. Talvez por isso, pegou umas notas bem dobradas, amarradas com um elástico, e entregou para Aleksei. O russo apresentou aos outros o maço como um troféu, enquanto os enxadristas passavam diante de Moraga em fila indiana para desafiar em duelo aquele personagem estranho, ao longo de uma tarde de céu limpo e coroada por uma brisa encantadora que mal chacoalhava as bétulas plantadas naquele parque desde que Paulo I, czar da Rússia e filho de Catarina, a Grande, governava a cidade. Ou melhor: o império.

Em sua segunda tarde moscovita, Moraga venceu três partidas seguidas. Nenhuma foi fácil, claro, mas qualquer estratégia — uma abertura catalã, uma defesa Pirc, virar despreocupadamente a cabeça e olhar para o outro lado — funcionava para ele e, de um instante para o outro, no meio de muitos daqueles aficionados pelo xadrez que nos anos seguintes emigrariam com seus tabuleiros para o Max Euweplein de Amsterdã ou para o Central Park de Nova Iorque, fez-se conhecer um estrangeiro iluminado, ou seja, um sujeito digno de desconfiança e ressentimento. Foram seis longas horas, das quais Moraga saiu como quem desperta de um transe, ainda tomado por uma febre tênue e suarenta, com calafrios e uma certa sensação de irrealidade. Claro que, ao contrário do dia anterior, não tinha o nervosismo, somente a mais pura convicção. Era uma rocha de certezas. E, tocado por um raio de lucidez, semelhante ao que o atravessou fazia alguns meses, quando soube que deveria viajar para a Rússia, disse a Pamela que agora ele era um homem novo, que, graças àquele parque, não estava condenado a seguir sendo o Moraga que ela conheceu. Em um arroubo de confiança, disse em voz alta: Moragavsky, Moragavsky. Repetiu três ou quatro vezes enquanto levantava do assento. Era uma senha secreta, uma verdade que se revelava ali, a três quilômetros da Praça Vermelha: Moragavsky! Esse era o nome — descobria à medida que o pronunciava e desenredava as sílabas — que lhe correspondia de agora em diante, o de um russo saído do fim do mundo, que retornava cavalgando com o garbo e o patriotismo de, só para dar um exemplo que venha ao caso, Miguel Strogoff.

Ainda no parque e encorajado pelo bom momento, pegou o monte de notas que Aleksei acabava de lhe entregar e empunhou no alto com a força, imaginou, dos sacerdotes maias que sustentavam um coração no alto do templo. Assim, bem no alto, com os olhos desorbitados e com a adrenalina jorrando pelos poros. Olhou outra vez para o rapaz e disse, em um espanhol claro e inequívoco — naquele instante, logo após seu triunfo, aquele parque era território soberano chileno, um pouco como a agradável Kaliningrado na costa polonesa: Agora, traga-me o Karpov, o Molov, caralho, o Kasparov!

Aleksei entendeu de imediato, nem é preciso dizer, aproximou-se dele com um sorriso paternal, e, na frente dos outros jogadores, pegou o dinheiro de Moraga e contou nota por nota em voz alta. Sto, dvesti, trista. Trezentos dólares. Com cada um daqueles papéis, uma família poderia viver por semanas, contudo, ninguém estava ali para encher panela, mas sim para comprar os tijolos com os quais Moraga construiria seu humilde e particular Arco do Triunfo. Ou quiçá apenas o seu triunfo. O corretor ortopédico, em outras palavras, para endireitar uma vida torta.

Seu improvisado agente russo afastou-se vários passos e falou — se não ao ouvido, ao menos bem de perto — com dois ou três senhores que usavam casacos até os joelhos. Uns assentiam, outros mexiam a cabeça em sinal de dúvida, outro sorriu de um jeito cínico, porém Moraga estava confiante e, minutos depois, quando Aleksei, com seu cabelo loiro cortado à máquina, voltou para dizer que, por dois mil dólares, amanhã ele poderia jogar contra Ruslav Malatov, não lhe pareceu nada estranho, mas apenas uma constatação bastante trivial. Ele entendeu apenas Ruslav Malatov, contudo já era o suficiente. Em seguida, quando viu o número que o russo anotava na palma da sua mão com uma esferográfica, cuidando para que não houvesse mal-entendidos, soube que conseguiria. Dois mil dólares: esse era o número. Uma cifra desproporcional e ridícula que quase equivalia ao que ele trazia na bolsa.

Moraga havia lido sobre coisas do gênero em revistas de xadrez e na seção internacional do El Mercurio, e supunha que para os assíduos do Boulevard Tverskoy tampouco era novidade. Desde a queda do Muro — e muito antes até, sobretudo quando os grandes mestres cruzavam a fronteira para jogar no estrangeiro —, mais cedo ou mais tarde aparecia um excêntrico (um diplomata, um empresário, um milionário entediado) que procurava um troféu da Guerra Fria, uma lembrança única e inigualável, e pagava somas ridículas para desafiar um daqueles antigos mestres que começaram a viver dessas pequenas partidas, feito cantores esquecidos que, de repente, voltam a estar na moda em cruzeiros, cassinos e festas de fim de ano. Ninguém oferecia resistência. Eram jogos desajeitados e lentos que os mestres finalizavam com rapidez e astúcia. Deixavam que seus oponentes jogassem um pouco, dez ou quinze minutos, mais para perceberem onde estavam pisando, e logo asfixiavam os adversários com a rapidez e a desenvoltura de uma prostituta muito experiente porque, afinal de contas, era para isso que os pagavam, para dizer que era uma coisa incrível, que precisavam ter visto, que o mestre era uma máquina. Cada um cobrava de acordo com os metros ocupados pelos troféus nas suas casas e, durante os anos em que Yeltsin tentava fundar um império baseado em álcool e capitalismo, era fácil conseguir putas e enxadristas de todo tipo.

    Ruslav Nikoláievich Malatov, um turcomeno de Asgabate, formado na vanguarda do xadrez, aluno proeminente de Begmyrat Berdiýew, havia chegado na final do campeonato mundial de 79 para ser derrotado por Karpov, porém, mais tarde, ganharia em 87 contra Kasparov, ninguém mais, ninguém menos. Foram vinte e cinco partidas jogadas em Oslo, em um inverno muito estranho e quente, que Moraga recordava com a precisão de quem as assistiu ontem na televisão. De fato, se fechasse os olhos, podia imaginar o desafiante alegre e confiante, com seus óculos redondos bem-postos, sorrindo. Esse foi o ponto alto do qual Malatov nunca mais se recuperou — Kasparov voltaria a ocupar o trono onze meses depois —, contudo, ninguém colocaria em dúvida — bom, talvez alguém muito ranheta, mas nenhum dos que se reuniam para fumar e jogar naquele parque — que Ruslav Nikoláievich Malatov era um dos grandes mestres vivos e um dos protagonistas indiscutíveis da década dourada, se é que é possível dizer algo assim, na qual o resultado de uma partida de xadrez podia aparecer nas capas dos jornais de qualquer cidade do mundo.

Organizariam três jogos, informaram a ele imediatamente, rabiscando números e círculos sobre um papel. O dinheiro seria para os honorários do russo — após o prévio pagamento da porcentagem que os intermediários levariam, ele supunha —, e o que fosse apostado correria por fora. Era o usual naqueles casos, e Moraga não pensava tanto nos dois mil dólares quanto no nariz torto de Malatov, em seus olhos grandes, naquela careca ampla que se esticava como se alguém lhe puxasse os cabelos para trás desde as costas, o que o deixava muito parecido com uma águia usando os óculos do John Lennon.

Encorajado pelo triunfo — ou talvez por seu destino, que estava cada vez mais próximo —, Moraga disse ao rapaz que sim, claro. Primeiro, assentiu com uma segurança exagerada, que é como assentem os que não estão seguros. E depois o fez mais lentamente, dando-se conta do que estava acontecendo, até estender no ar sua palma direita em sinal de "esperem". E sendo o corredor que era — sua especialidade seriam as corridas de fundo, mas um bom corredor sempre pode com os trajetos curtos — atravessou a avenida de volta ao hotel e, em vinte minutos, bastante agitado, apareceu de novo no parque, agora com sua bolsa de mão.

    Talvez essa breve viagem de ida e volta tenha selado o destino de Moraga, vá saber. É difícil encontrar outro ponto nesta história em que o mestre da Patagônia tenha queimado todas as pontes. Em certo sentido, e agora que os anos se passaram, pode-se suspeitar, foi como a manobra de defesa russa que o general Mikhail Kutuzov tornou célebre, quando em 1812 enfrentou Napoleão, que queria chegar cavalgando até o coração da Rússia, mas acabou se resignando a ver seus homens marchando pela estepe sem encontrar alimento, com cada centímetro do campo arrasado, queimado, sem ninguém contra quem lutar, sem uma couve-flor para comer, quer dizer, nus diante da vontade e da ferocidade do inverno que pisava nos seus calcanhares e fazia de Moscou um território tão inalcançável quanto um lugar imaginário. A lição militar, como pode-se ver, é de que o terreno também é parte do combate. E neste caso, pensava Moraga, do outro lado daquela rua, no famoso Boulevard Tverskoy, ele varreria todos até converter-se, paradoxalmente, no melhor enxadrista russo.

 Entregou a bolsa com um orgulho japonês que seu filho jamais conheceria. Para Aleksei, pareceu que ele lhe entregava fazendo uma leve reverência, e não era para menos, pois ali dentro havia dois mil dólares em cédulas novas, lisinhas, passadas a ferro, que o rapaz nem se prestou a contar. Bastou-lhe abrir um pouco o zíper para descobrir como o aroma das notas — uma mescla de celulose, tinta e otimismo — subia de pronto até se meter no seu nariz. Aquele era o aroma de uma vida sem miséria, o perfume de um futuro pleno e, casualmente, do túmulo de Lenin.

Moraga pegou a bolsa de volta e a apertou contra o peito, procurando não deixar cair nenhuma nota no chão, e fez uma pantomima improvisada, garantindo que entregaria o dinheiro na manhã seguinte, assim que o temível Malatov estivesse sentado em um daqueles bancos verdes.

Pelo segundo dia consecutivo, ele se retirou do parque vigiado pelos olhos de uma corte perigosa e surpresa, que olhava para ele como para um condenado à morte que, no dia antes de ir para a cadeira elétrica, pede um sorvete de framboesa. Vista desde o parque, a bolsa balançava para frente e para trás, com toda a tranquilidade do mundo, enquanto as costas de Moraga seguiam muito eretas, até que ambas desapareceram ao cruzar a porta do hotel.

É isso, pensou. Ou será isso, o que, se não dava no mesmo, em última instância lhe dava a certeza de que o caminho estava sinalizado.

Havia sido uma tarde longa. Moraga largou a bolsa com cuidado sobre uma cadeira, deitou-se de costas na cama e pensou sobre seus triunfos de há pouco. Eram os três atos de uma obra, que, sem maiores dificuldades, poderiam apresentar a pouquíssimas quadras dali, no Teatro Bolshoi, com seus tapetes vermelhos e felpudos. Um balé cheio de piruetas impossíveis e bailarinas esbeltas e coquetes; uma história épica e exótica em que, no final e, contra todos os prognósticos, o estrangeiro vencia.

Sobre a colcha floreada e desbotada, Moraga repassava sua tarde: um mate, outro, e mais um, todos coroados pelo jogo do dia seguinte, aquele que teria com Malatov, em uma cidade em chamas que se desfazia muito rápido, como ele comprovaria assim que, naquele hotel subitamente vazio, abrisse os olhos depois de sabe-se lá quanto tempo — lá fora estava escuro, não havia rastro do vento da tarde anterior, seu relógio ainda marcava o horário errado — e confirmasse que o cansaço o havia vencido. Vinha dormindo pouco há dias. Sentia-se esgotado. Vivia em um estado febril, sem distinguir com clareza a vigília e o sonho, o real e o inventado. O melhor seria seguir dormindo, porém o parque e seus fantasmas sussurravam junto ao seu ouvido. Logo terei tempo para essas coisas, pensou, e, depois de levantar com cuidado, não era hora para se machucar, desceu outra vez as escadas que rangiam e retumbavam como um coro endemoniado nos andares de cima.

Primeiro, entrou na Bogoslovsky e, então, na Bolshoi Palashevsky. Envolto no seu casaco, perdeu-se por avenidas compridas e cinzentas tapadas de cartazes meio descolados do Iron Maiden e fotos de um tal Kashpirovsky, um sujeito com um penteado estranhíssimo, certamente satânico, que olhava fixamente quem cruzasse à sua frente. Padarias com as grades abaixadas, uma senhora vendendo batatas em uma esquina, um sujeito de bigode que empilhava caixas de ovos sobre o capô de um carro vermelho, um bonde branco coroado por um número dois que avançava aos tropeços pelo meio da rua. A cidade e seu caos — pouco tempo atrás, naquele documentário que ele viu deitado no sofá de casa, garantiam que as máfias haviam se apoderado dos bancos e que a polícia, àquela altura, funcionava como segurança privada dos próprios mafiosos ou das suas vítimas — sedavam Moraga. Justamente, era a desordem que lhe permitia atravessar Moscou como um turista invisível que se infiltrava feito um vírus no corpo do inimigo. Um *émigré*, pensava, com toda a graça e o pó daquela palavra. Dobrava em uma rua e depois em outra, mais tarde em outra e, rodeado por um exército de *bomzhi* — aquelas pessoas que perderam seus trabalhos e suas casas, a vida inteira, durante as reformas, e se dedicaram a vagar como espectros vindos do passado, incapazes de encontrar uma ocupação naquele lugar novo —, que apareciam do nada para enfiar a cabeça nas lixeiras, por mulheres que caminhavam com um cestinho metálico que Moraga não podia imaginar para que servia, ele percebeu duas coisas; a primeira era a mais óbvia: sua primeira noite nas ruas de Moscou havia chegado; e a segunda, se pensarmos bem, era igualmente óbvia, estava a poucas horas de cumprir a sua missão.

Longe do Centro, entre comércios que ainda estavam abertos e gente que voltava para suas casas, Moraga se deu conta de que não tinha um mapa. Ignorava por completo em que bairro estava, ou como retroceder o percurso para voltar ao hotel, porém aquelas ruas cheias de bugigangas e produtos recém-chegados dos Estados Unidos ou da Europa confirmavam para ele que não havia como errar o caminho. Na verdade, pensou que as filas longas e os rostos confusos com que cruzava pela rua — ou os pôsteres de Viktor Tsoi que abundavam a cada esquina como se fossem pontos de peregrinação — não eram mais do que o cenário da sua marcha triunfal. Além do mais, tampouco poderia estar perdido se há poucos minutos havia decidido que estava procurando um telefone público.

Não precisou andar muito. Perto de uma praça custodiada pela grande e calorosa mão de um Karl Marx de cimento, onde ainda havia vendedores encostados em uns carros velhos, iluminados de rebote pelos holofotes que apontavam para a cabeça daquele alemão barbudo, viu uma cabine envidraçada. Dentro dela, encontrou um telefone de disco metálico que, na sua parte inferior, tinha gravados quatro números de emergência, porém, em vez de discar para qualquer um deles, Moraga se limitou a tirar o fone do gancho. Assim que o pegou, sentiu o cheiro de tabaco impregnado no plástico. Tabaco escuro, pensou, e subitamente aquele lugar lhe pareceu privado e pessoal, um lugar cheio de vida, e deixou passar trinta ou quarenta segundos antes de enfiar duas moedas de um copeque, bem pequenas e de cobre, e ouvir a voz de uma telefonista.

Slushayu.

Com o Chile! Preciso falar com o Chile!

Esperou em silêncio por alguns segundos, respirando fundo, talvez escutando o eco das suas palavras que rebatiam no outro lado da linha e, como responderam com uma frase breve e cortante, ele repetiu com mais vontade, inclusive com um leve sotaque russo: Com-o-Chi-le! Pre-ci-so-li-gar-pa-ra-o-Chi-le!

E ficou ali, com o fone na mão, sentindo o cheiro de tabaco velho que não ia embora, com o sinal intermitente de uma conversa que a telefonista tinha dado por encerrada, às margens de uma praça triste. Da cabine, Moraga olhava os vendedores que estavam sob a estátua de Marx e dizia para si mesmo que não importava se um dos seus poucos amigos ou os jornalistas esportivos do La Prensa Austral se inteirassem ou não sobre seu triunfo. Afinal de contas, aquela glasnost particular que chamavam de transição impedia que eles vissem o buraco onde estavam se metendo. Problema deles. Que se virassem sozinhos. Moscou o havia transformado e seu ajuste de contas com Malatov seria somente o golpe de misericórdia que confirmaria tantas coisas. E feito o Super-Homem, que muitas vezes trocava de roupa em uma cabine telefônica e saía para combater o crime em Metrópolis, naquela noite Moraga se despediu pela última vez de Pamela — adeus, minha querida, chegou a hora; de seu filho sequer lembrou — e saiu, agora sim, convertido em Moragavsky.

Avançou com confiança pela praça sem um traço de temor e, depois de olhar o que aqueles vendedores ambulantes ofereciam, comprou três pequenas medalhas de segunda mão, que ele juraria terem pertencido a russos do exército branco caídos em combate. Eram duas estrelas douradas de cinco pontas e um retângulo com as novas cores da bandeira que ele prendeu com cuidado no peito do seu casaco e, em seguida, já ostentava orgulhoso enquanto os últimos postes de luz acendiam, e ele marchava sem pressa para lugar nenhum. Aquelas ruas, pensava Moragavsky, eram sua conquista. Enfiou as mãos nos bolsos e, ao entrar em uma avenida grande, que se perdia no horizonte, sentiu os pés frios e imaginou que algumas horas mais tarde caminharia pelos corredores escuros e desertos do seu hotel, sem encontrar ninguém, escutando nada mais além dos seus passos solitários, que fariam ranger as tábuas soltas da escada, e que, em certo momento, chegaria no segundo andar e veria a porta do seu quarto entreaberta e não restaria nenhum vestígio da sua bolsa, nem do seu passaporte — estariam lá apenas as paredes vazias e os dois candelabros débeis —, porém não teria importância porque do outro lado da janela aberta estaria seu destino: os bancos verdes do Boulevard Tverskoy. Ali, ele jogaria por dias, quem sabe todos os que lhe restassem pela frente. Dava no mesmo se eram um ou cem anos, de qualquer modo não voltaria porque não tinha para onde voltar. E se deixou levar através das ruas moscovitas — livre, leve, enchendo subitamente os pulmões — como um daqueles albatrozes que sobrevoavam todas as manhãs, como se estivessem em casa, o Estreito de Magalhães.

 Há muito tempo, aliás, ele cruzou o estreito em uma balsa lenta e repleta de caminhões que iam para a Terra do Fogo.

Seu plano era jogar um pequeno torneio em Porvenir e, como sempre fazia, ficou sob a cobertura do barco ao longo das duas horas do trajeto. Moraga ia à mercê do vento, de um punhado de turistas que fotografavam toninhas e de um café instantâneo caro demais que comprou no quiosque da balsa e bebeu em goles lentos, um pouco para aquecer as mãos, outro pouco para matar tempo. Era uma paisagem que conhecia de cor, mas que ainda o emocionava. Mas o que é digno de registro ocorreu um pouco depois. Três albatrozes grandes de asas escuras passaram voando exatamente sobre a sua cabeça. Gritavam mais do que o habitual e, quando ele levantou o olhar, uma senhora que estava a seu lado, uma mulher magra vestindo uma parca que devia ser uns dois ou três números maiores do que o tamanho dela, e que ele encontraria de novo no dia seguinte na viagem de volta, contou para ele uma história, da qual Moragavsky lembrou enquanto avançava rumo ao fim da noite russa.

Aconteceu em meados do século 19, ela dizia, quando o mar era propriedade de baleeiros e marinheiros mercantes. Naqueles anos já não existiam piratas nem corsários, entretanto os marinheiros mercantes iam e vinham como se fossem a confirmação flutuante da expansão dos mercados. Cruzavam de um hemisfério a outro e, em um dia qualquer, um albatroz semelhante aos que voavam sobre ela e Moraga saiu daquele pedaço de mar rumo ao norte. Ninguém sabe muito bem como se deu — aqui só há hipóteses, embora seguramente tenha sido culpa de uma enfermidade ou de uma deformação rara que alterou os sentidos dele, porque os albatrozes não voam acima do Rio da

Prata —, mas em poucos meses o pássaro chegou ao norte do planeta, nas Ilhas Faroé, e permaneceu em Mykines, uma ilha minúscula daquele arquipélago — de penhascos verdes e úmidos, com um punhado de habitantes que pintam suas casas com cores alegres e que, durante o verão, não sabem o que é a noite — por mais de três décadas. Naquele lugar, logicamente, não havia outros albatrozes. Por anos, o pássaro tentou sem sucesso acasalar com as gaivotas e, sobretudo, com os alcatrazes. Voava, comia e observava o vilarejo junto a eles desde o ponto mais alto dos penhascos. Desde o princípio, os pescadores locais o batizaram como Sule Kongen, o Rei dos Alcatrazes, porque o pássaro era maior do que os outros e, de tempos em tempos, castigava sem piedade os seus súditos. Assim, na base da porrada, transformou Mykines no seu reino. A história, a senhora disse para ele, era famosa, e o pássaro se converteu em uma celebridade local quando um biólogo da civilizada Copenhague descobriu que aquele alcatraz monstruoso era, na realidade, um albatroz perdido. Ninguém conseguia explicar o que ele fazia ali — supunham que havia chegado seguindo um baleeiro dinamarquês —, porém as teorias pouco importavam porque, dia após dia, ele voava como um rei sobre os picos daquele povoado até que, em 11 de maio de 1894, depois de trinta e quatro anos sem abandonar a ilha, um tal Johannes Frederik matou-o com um tiro de escopeta. Olhando em retrospectiva, não parece nada estranho, pois o pássaro era um tirano e, naqueles dias, as monarquias estavam desaparecendo com uma rapidez assombrosa. Em todo caso, assim que os zoólogos da Dansk

Naturhistorisk Forening ficaram sabendo da notícia, mandaram buscar o corpo do Rei dos Alcatrazes e o levaram para a capital dinamarquesa para estudá-lo, embalsamá-lo e iniciar um longo processo de trabalho. Os cientistas encarregados da tarefa encheram dezenas de páginas com depoimentos de testemunhas e com dados sobre os costumes daquele animal do sul que se perdeu no norte. Quase todos os habitantes tinham algo a dizer. Era um caso fora do comum, anotaram quase no fim do calhamaço, mais ou menos como quem dá de ombros em sinal de resignação. O albatroz tinha condições de regressar, concluíam, porém decidiu ficar no ponto mais ocidental e remoto das Ilhas Faroé como se aquele fosse o seu lugar.

    O corpo embalsamado do animal, ainda hoje, pode ser visto nos acervos do Museu de História Natural de Copenhague.

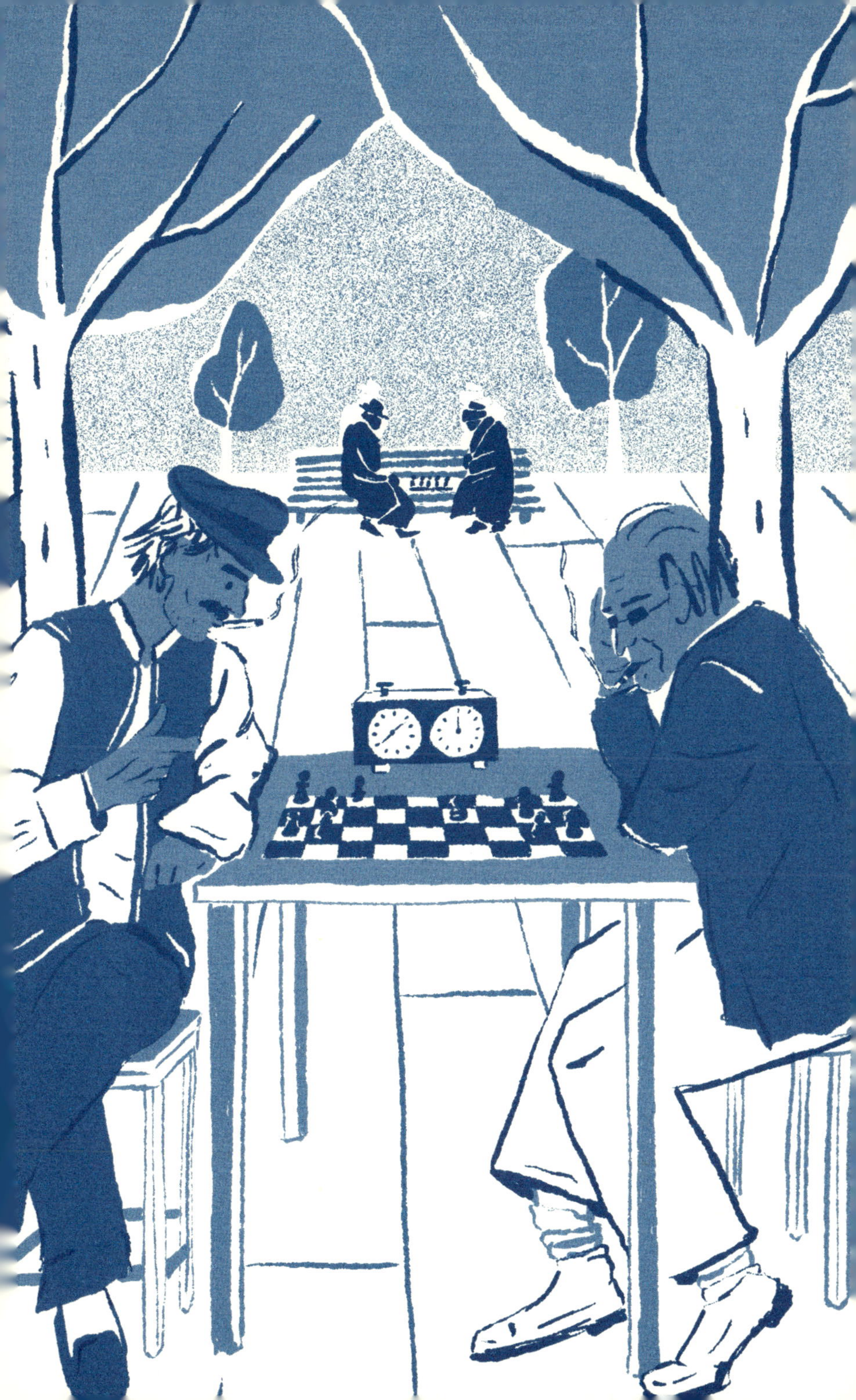

Descubra a sua próxima
leitura em nossa loja online
dublinense .COM.BR

Composto em TIEMPOS e impresso na SANTA MARTA, em PÓLEN BOLD 90g/m², em JANEIRO de 2022.

GONZALO MAIER *é um escritor chileno, nascido em 1981. Publicou oito livros — ensaios e romances breves — e escreve regularmente colunas de opinião em diversos meios. É doutor em Artes e professor universitário.*